# Volamos

## Cuaderno de actividades

*cursiva*

Alma Flor Ada

ILUSTRACIONES DE
**Ulises Wensell**

McGraw
Hill

MÉXICO • BOGOTÁ • BUENOS AIRES • CARACAS • GUATEMALA • LISBOA • MADRID • NUEVA YORK
SAN JUAN • SANTIAGO • AUCKLAND • LONDRES • MILÁN • MONTREAL
NUEVA DELHI • SAN FRANCISCO • SINGAPUR • ST. LOUIS • SIDNEY • TORONTO

Director general: Clemente Merodio López
Gerente de división: José Ashuh Monayer
Gerente editorial: Emilio Javelly Gurría
Editora: Martha Patricia Hernández Espinosa
Supervisor de producción: Juan José García Guzmán

Ilustraciones: Ulises Wensell
Portada: Ulises Wensell, Hilda Karina Guadarrama Rivas
Composición tipográfica: Silvia Plata Garibo

Hagamos Caminos

# Volamos

Cuaderno de actividades. Cursiva

McGraw-Hill
Interamericana

DERECHOS RESERVADOS © 2004, respecto a la primera edición por:
**McGRAW-HILL INTERAMERICANA EDITORES, S.A DE C.V.**
*A Subsidiary of The McGraw-Hill Companies, Inc.*
Cedro Núm. 512, Col. Atlampa,
Delegación Cuauhtémoc,
C.P. 06450, México, D.F.
Miembro de la Cámara Nacional de la Industria Editorial Mexicana, Reg. Núm. 736

ISBN 970-10-4429-0

1234567890                    09876532104

Impreso en México             Printed in Mexico

Esta obra se terminó de
imprimir en Abril del 2004 en
Programas Educativos S.A. de C.V.
Calz. Chabacano No. 65-A
Col. Asturias C:P: 06850 México, D.F.
Empresa certificada por el Instituto Mexicano
de Normalización y Certificacion A.C. bajo la
Norma ISO-9002,1994/NMX-CC-04: 1995 con
el núm. de registro RSC-048 y bajo la Norma
ISO-14001:1996/SAA-1998, con el núm. de
registro RSAA-003

# Contenido

# Genaro y el avión

una gitana

un gitano

un gigante

gemelos

la gente

1. La _____ está en la calle.

2. Corre al ver al gigante.

3. Es un _____ de mal genio.

GI

GE

Genaro

Germán

Reconocer las sílabas *ge, gi*. Completar el texto, según el sentido.

1. El _____gato_____ del

general.
gigante.
mago.
gusano.

2. El

forro
carro
gorro
perro

del _____.

3. El _____ del

girasol.
gusano.
guante.
gitano.

4. El

gusano
girasol
gemelo
gallo

del _____.

Completar las oraciones, según el ejemplo.

*ge gi*

*Ge Gi*

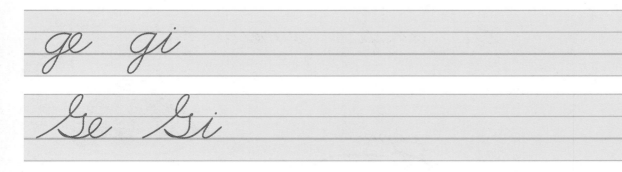

*dos gatos amigos*

*Genaro y Germán*

Trazar y copiar las sílabas modelo y los textos.

# Las jirafas gemelas

Las jirafas gemelas comen

papas.

(gelatina.)

tomates.

La jirafa Josefina come

tunas.

papas.

peras de una mata.

Las jirafas gemelas toman agua de

coco.

tomate.

pepino.

Su mamá es

tonta.

cuidadosa.

descuidada.

y las vigila todo el día.

Encerrar en un recuadro la palabra que complete cada oración, según el dibujo.

# El viaje de Genaro

1. _____Genaro_____ sube al avión.

2. El _____ sube.

3. Vuelan en el _____.

4. Genaro corre a su _____

Completar según el libro, páginas 5 a 14. Escribir al lado de cada dibujo el número correspondiente.

# ¡Y yo!

ya
ye
yo
yu

Ya se van los niños.
Se van al campo.

Los _____
corren por la yerba.

Ven una yegua con
su potrillo.
La _____ come yerba.

Ven una yunta de bueyes.
Los _____ tienen
un yugo.

Ya se van a casa.
Van contentos.
¿Quieren ir al
campo?

¡Yo sí! ¡Y yo!

10

Reconocer las sílabas ya, ye, yo, yu. Leer, discutir y completar el texto, según los dibujos.

$\mathcal{Y}$ $\mathcal{Y}$ $\mathcal{Y}$ $\mathcal{Y}$ $\mathcal{Y}$ $\mathcal{Y}$ $\mathcal{Y}$ $\mathcal{Y}$ $\mathcal{Y}$ $\mathcal{Y}$ $\mathcal{Y}$ $\mathcal{Y}$ $\mathcal{Y}$

$\mathcal{Y}$

$\mathcal{Y}$ $\mathcal{Y}$ $\mathcal{Y}$ $\mathcal{Y}$ $\mathcal{Y}$ $\mathcal{Y}$ $\mathcal{Y}$ $\mathcal{Y}$ $\mathcal{Y}$ $\mathcal{Y}$ $\mathcal{Y}$

$\mathcal{Y}$

El pato no ayuda.

Los pollitos ayudan.

Trazar y copiar las letras modelo y las oraciones.

# La gallinita dorada

La gallinita dorada
salió de paseo
con sus pollitos.

La gallinita dorada vio
una semilla. Pidió ayuda.

El pavo dijo:
—Yo no.

El pato dijo:
—Yo no.

El gato dijo:
—Yo no.

Unir las oraciones con los dibujos correspondientes, según las páginas 16 a 19 del libro.

La gallinita dorada
puso la semilla en la tierra.

–¿Quién me ayuda? –dijo
la gallinita dorada.

El pavo dijo: – _____ .

El pato dijo: – _____ .

El gato dijo: – _____ .

Completar las oraciones según el cuento, aceptando variantes.

La gallinita dorada sólo
tuvo la ayuda de sus pollitos.

–¡Qué buena comida! –dijo
la gallinita dorada.
–¿Quién quiere?

El gato dijo: –¡_____!

El pavo dijo: –¡_____!

El pato dijo: –¡_____!

La gallinita dorada dijo: –_____.

¡_____!

Y se comió la comida con sus pollitos.

Completar las oraciones según el cuento, aceptando variantes.

*Yo*

*Yo me llamo* _____

𝒴 𝒴 𝒴 𝒴 𝒴 𝒴

𝒴 𝒴 𝒴 𝒴 𝒴 𝒴

Hacer un autorretrato y escribir el nombre propio. Trazar las letras modelo y copiarlas.

# La gallinita y sus amigos

Resolver los crucigramas con nombres de los personajes del libro, páginas 16 a 19.

¿Quién me ayuda?

1. El _____ Zapato dice: –Yo _____ .

2. El _____ Garbanzo dice: – _____ no.

3. El _____ Garabato dice: –Ni _____ .

4. Los _____ ayudan.

¿Quién quiere comer las tortillas?

5. El pato _____ dice:

   – _____ _____ .

6. El ganso _____ dice:

   – _____ _____ .

7. El gato _____ dice:

   – _____ _____ .

La gallinita se come las tortillas.

8. Sus pollitos la _____ .

Completar las oraciones según el libro, páginas 16 a 19.

# Un buen examen

La doctora examina al enfermo.

Lo _____ con cuidado.

¡Qué enfermedad rara!

El músico toma un taxi.

Va en _____ porque no

quiere llegar tarde.

El músico toca el saxofón.

Toca el _____ en la

orquesta.

Reconocer la letra X. Leer y completar los textos.

# La X

Ximena y Xavier son hermanos. Tienen unos amigos que se llaman igual que ellos.

Pero ponen Javier y Jimena con J, no con X.

Los dos hermanos, Ximena y _____, y sus amigos, _____ y Javier, se ríen mucho con estos cambios.

Han hecho un canto que les gusta mucho:

—¿X por J?
Sí, ¿por qué no?
Xavier García
me llamo yo.

—¿J por X?
Sí, ¿por qué no?
Javier Merino
me llamo yo.

x x x x x

X X X X X

examen taxi

Completar el texto, según el sentido. Trazar las letras y palabras modelo y copiarlas.

x x x x x x x x x x x

x

X X X X X X X X X X

X

Va en taxi al examen

Trazar y copiar las letras modelo y la oración. Reconocer en el dibujo objetos con forma de X.

# La cigarra guitarrista

La cigarra toca la guitarra,
el abejón toca el guitarrón.

 y [...] tiraron guijarros

para que les sirvieran de guía para volver a su casa.

De los guisantes mágicos salió una mata altísima.
Juanito subió por ella y llegó al castillo
de un gigante.

A los niños les gustan los títeres.

Subrayar las palabras que contienen las sílabas *gue*, *gui*. En hoja aparte escribir oraciones usándolas.

# Guido, el guitarrista

que gui

Guido, el guitarrista,
toca la guitarra.
Toca la guitarra
bajo una parra.

Toca la _____
y sale un ratón.
El _____ se mete
bajo un botón.

Toca la _____
y sale una perra.
La _____ no quiere
irse a la guerra.

Toca la _____
y ya sabes tú.
Baila que te baila,
tu-ru-ru-ru-rú.

22

Completar el texto según el libro, páginas 30 y 31, y el sentido.

# La ratoncita Amparo

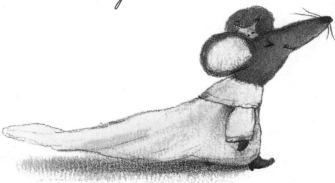

1. ¿Quién ha pasado a ser reina?

   La ratoncita _____ .

2. ¿En dónde?

   En el país de los _____ .

3. ¿Quién se ha casado con ella?

   El _____ .

4. ¿De qué se compone su imperio?

   De la sala, el baño y la _____ .

5. ¿En qué sueña el gato?

   En comer _____ de sardinas.

ratones          baño          Amparo

cocina          empanadas          emperador

Subrayar las palabras que contienen las combinaciones *-am, -em, -im, -om, -um*. Completar el texto con las palabras dadas.

# La cigarra y la hormiguita

1. ¿Qué toca ? _____

_____

2. ¿Cómo se llama ? _____

_____

3. ¿Quién recoge  y ? _____

_____

4. ¿Qué harán  y  cuando llegue el invierno?

_____

_____

_____

24

Leer y contestar las preguntas según el libro, páginas 28 y 29.

## Más flamencos

Era la hora del desayuno. Flavia y Fluvio, los dos flamencos rosados, estaban buscando comida bajo el agua. Para eso les servían sus patas altas y flacas y sus cuellos largos.

Vieron acercarse a dos cazadores. Uno tenía un arco y flechas. Uno tenía un rifle.

—Vamos a escondernos en las flores —dijo Flavia, toda afligida.

—Sí —dijo Fluvio—. ¡No queremos convertirnos en el desayuno de esos cazadores!

| | | |
|---|---|---|
| fla | Flavia | |
| fle | | |
| fli | | |
| flo | | |
| flu | | |

Reconocer las sílabas *fla, fle, fli, flo, flu*. Subrayar y escribir las palabras que las contienen.

# Flores y caracoles

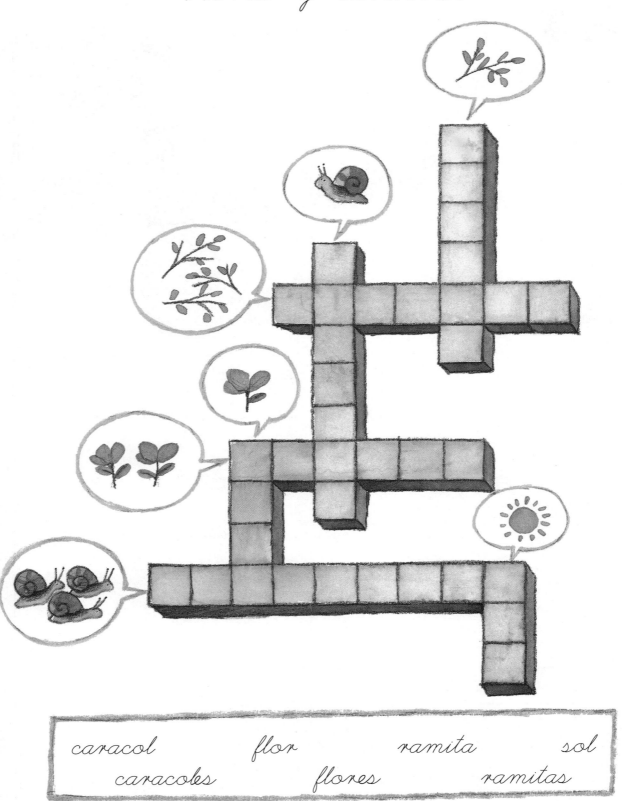

caracol      flor      ramita      sol

caracoles      flores      ramitas

Resolver el crucigrama con las palabras dadas, utilizando los dibujos de los objetos representados.

# ¿A qué se parecen?

1. Una mariposa de colores es como una _____ que vuela.

   gallina        piñata        flor

2. La luna en el cielo es como un _____ de la noche.

   cajón        avión        farol

3. Un pajarito que canta es como un _____ en el árbol.

   sillón        violín        camión

4. _____ es como

   _____.

Completar las oraciones con las palabras dadas. Completar la última imagen.

# ¿Dónde están?

| m | t | c | i | e | l | o | e | ch | b | f | L | a | c | a |
|---|---|---|---|---|---|---|---|---|---|---|---|---|---|---|
| g | u | i | t | a | r | r | a | j | r | i | f | l | e | h |
| c | d | e | s | a | y | u | n | o | g | F | l | o | r | y |
| a | r | c | o | F | s | o | l | z | d | a | g | u | a | c |
| c | a | r | a | g | o | L | w | c | i | g | a | r | r | a |
| u | g | f | l | e | ch | a | r | n | f | i | e | s | t | a |
| a | ñ | s | l | a | r | g | o | e | v | h | o | r | a | d |
| d | a | c | u | e | ll | o | l | f | l | a | n | b | o | e |
| r | l | e | s | t | i | n | v | i | e | r | n | o | ll | a |
| a | r | f | l | a | m | e | n | c | o | x | d | o | s | K |

_____          _____

_____          _____

_____          _____

_____          _____

_____          _____

_____          _____

_____          _____

_____          _____

Encontrar y escribir las 20 palabras escondidas.

# Cucarachita Martina y Ratón Pérez

1. Cucarachita Martina se hizo unos moños _____ y se sentó a la puerta de su _____.

2. Pasaron muchos _____ por la casa de Cucarachita _____. Todos le dijeron: –¡Qué linda estás!

3. Ratón _____ pasó por la _____ de Cucarachita Martina. La vio tan bonita que le preguntó: –¿Quieres _____ conmigo?

4. _____ Martina y _____ Pérez se casaron. La fiesta de la boda fue muy _____.

*az ez iz oz uz*

29

Reconocer las terminaciones -az, -ez, -iz, -oz, -uz. Completar las oraciones según el libro, páginas 46 y 47.

5. La fiesta de la boda se hizo debajo del

_____.

Hubo muchos _____.

Todos estuvieron muy _____

6. Todos los _____ de Cucarachita

Martina y Ratón Pérez les llevaron

_____ muy lindos.

7. Después de la boda, _____

_____ y _____

_____ estaban muy _____

Los dos dijeron: —¡Qué felicidad!

Completar las oraciones con cualquier variante apropiada, según el libro, páginas 46 y 47.

Haz un lindo dibujo del cuento
de Cucarachita Martina y Ratón Pérez.

Di algo del dibujo. _____

_____

Dibujar libremente sobre el tema indicado. Comentar el dibujo y escribir algo sobre él.

# El pirata Fragantín

Para llegar al 🧰 del tesoro del 🏴‍☠️ Fragantín:
7 👣👣 al N. del 🌳 con frutas.
↱ hasta la ⬛ negra.
↰ hasta el 〰️ de aguas frías.
Cavar debajo del 🌲.

| árbol | río | roca | pino |
|---|---|---|---|
| doblar | pasos | siete | izquierda |
| derecha | cofre | pirata | |

Reconocer las sílabas *fra, fre, fri, fro, fru*. Copiar en hoja aparte el texto, sustituyendo los dibujos con palabras.

Fragantín Comefresas es un

_____.

Tiene una fragata que se llama

_____

El gato del pirata se llama

_____

La fragata va cargada

de _____

y de _____

frascos de fresas        Brigantina
    cofres        Fru fru        pirata

33

Completar el texto con las palabras dadas. Unir las oraciones con los dibujos correspondientes.

Fragantín llega
a una _____.

Además del gato, Fragantín
tiene un _____.

¡Tierra,
tierra!

El loro grita:
—¡ _____, _____!
cuando ve la isla.

Fragantín se queda
muy _____ en la isla.

contento     tierra     isla     loro

Completar el texto con las palabras dadas. Unir las oraciones con los dibujos correspondientes.

# Fragantín Comefresas

1. El pirata se llama _____ _____.

2. A Fragantín le gustan mucho las _____.

3. Le gustan las fresas _____
   y las fresas _____ _____.

4. En su fragata Brigantina, el pirata
   tiene muchos _____ de tesoros.

5. Y también tiene muchos cofres
   de _____ de fresas.

6. A Fragantín le gusta tomar el _____
   acostado en su hamaca.

7. Como en la isla no hay fresas,
   come ricos _____

Leer y completar el texto según el libro, páginas 48 a 53.

# Frutas

A Fragantín le gustan las frutas.
Le gustan mucho las fresas.
¿Qué frutas conoces?

_____

_____

_____

_____

_____

¿Qué frutas te gustan a ti?
Dibújalas.

| | | |
|---|---|---|

tejocotes        mangos
duraznos         manzanas
ciruelas         mandarinas
chirimoyas       melocotones
fresas           naranjas
guanábanas       peras
guayabas         uvas

Leer el texto y contestar las preguntas. Hacer dibujos sobre el tema indicado.

# Cofres y fresas

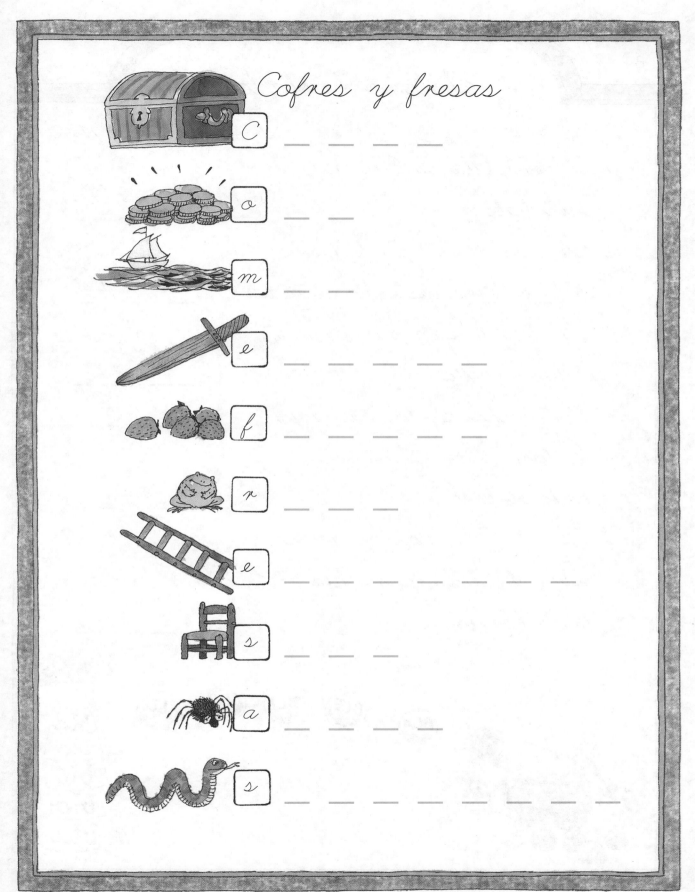

C _ _ _ _ _

o _ _

m _ _

e _ _ _ _ _ _

f _ _ _ _ _

r _ _ _ _

e _ _ _ _ _ _ _

s _ _ _ _ _

a _ _ _ _

s _ _ _ _ _ _ _

Completar la palabra en cada línea, según el dibujo.

# 8

# El loro hablador

|  | Sí | No |
|---|---|---|
| 1. El loro Ala de Oro no sabe hablar. | | X |
| 2. Cuando su dueño le habla, el loro le contesta en seguida. | | |
| 3. Cuando le dan su comida, el loro chilla. | | |
| 4. La percha del loro es roja. | | |
| 5. El loro dice: —Oro, oro, para el loro. | | |
| 6. Ala de Oro dice: —Comida para el lorito, para que hable bonito. | | |

BLA BLE BLI BLO BLU

bla
ble
bli
blo
blu

Reconocer las sílabas *bla, ble, bli, blo, blu*. Indicar si cada oración es verdadera o falsa.

# Doblar y doblar

Con un _____
de color _____
hago un pececito
muy bien educado.

Lo doblo y lo doblo,
lo vuelvo a _____.
Sale un _____
¡y se echa a volar!

doblar    pajarito    papelito    rosado

Completar el texto con las palabras dadas.

# La tablita

Posada

1. La muchacha tiene una _____ blanca.

2. El marinero tiene un pañuelo _____.

3. Los dos _____.

4. Las _____ de la cerca son anchas.

5. La _____ del anuncio es pequeña.

tablas   blanco   hablan   blusa   tablita

—Salta la tablita.

—Yo ya la salté.
Sáltala tú ahora.

—Yo ya me cansé.

Elegir la palabra adecuada para completar cada oración, según el dibujo.

# 9

# Primavera

En el _____. el caracol

saca los cuernos al _____.

Como _____. el girasol

le da un beso al _____.

La _____ presurosa

saluda a la _____ preciosa.

¡Qué promesa. la _____

mañana de _____!

**PRA** **PRI** **PRO** **PRU**

**PRE**

Reconocer las sílabas *pra, pre, pri, pro, pru*. Completar el texto según el libro, páginas 58 y 59.

# El loro Prudente

1. El loro del pirata Fragantín
se llama _____.

2. Le gusta viajar en el
_____ del barco.

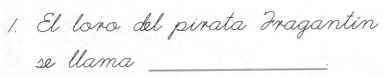

3. Apura a los marineros. Les dice: —¡ _____.
_____ !

4. Cuando llegan a puerto, grita: —¡Tesoros!
¡ _____ ! ¡ _____ !

aprisa    joyas preciosas    mástil
Prudente    prendas

Completar las oraciones con las palabras dadas.

## al el il ol ul — El sapo y el caracol

1. El caracol decidió
   ir a tomar sol.

2. Dejó a sus hijitos
   con el sapo.

3. El sapo se quedó
   cuidando a los hijitos
   del caracol.

4. Por ahí pasó
   el gorrión.
   Y el sapo cantó.

Subrayar las terminaciones -al, -el, -il, -ol, -ul. Escribir en cada dibujo el número del texto correspondiente.

1. La col le regaló
   unas hojitas. Y el sapo
   las guardó para
   el caracol.

2. El girasol dejó caer
   unas semillas.
   Y el sapo las guardó
   para el caracol.

3. La palma le regaló
   una hoja.
   Y el sapo hizo
   un parasol para el caracol.

4. Cuando el caracol
   volvió dijo:
   —Muchísimas gracias.
   amigo sapo.

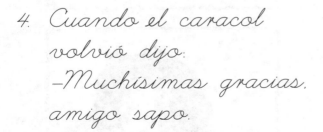

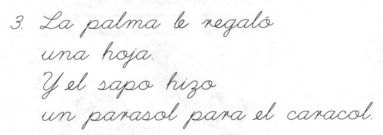

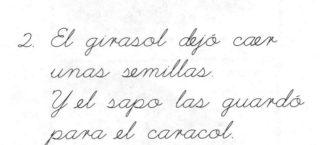

Subrayar las terminaciones -al, -el, -il, -ol, -ul. Escribir en cada dibujo el número del texto correspondiente.

# De paseo en primavera

1. Tito se    pasea.
            lava.
            afeita.
            desayuna.

2. Beba se    lava.
            viste.
            pasea.
            peina.

3. El abuelo se    desayuna.
                cepilla.
                afeita.
                viste.

4. La abuela se    para.
                viste.
                lava.
                peina.

5. Todos se van de paseo
en primavera.

Encerrar en un recuadro la palabra que complete cada oración, según el dibujo.

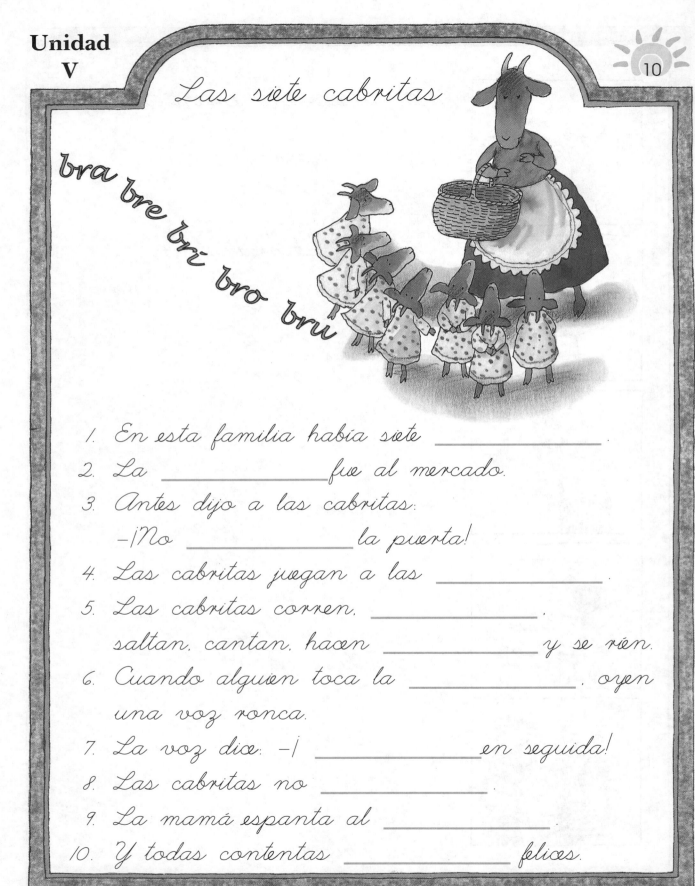

## Las siete cabritas

bra bre bri bro bru

1. En esta familia había siete _____.
2. La _____ fue al mercado.
3. Antes dijo a las cabritas:
   —¡No _____ la puerta!
4. Las cabritas juegan a las _____.
5. Las cabritas corren. _____.
   saltan. cantan. hacen _____ y se ríen.
6. Cuando alguien toca la _____. oyen
   una voz ronca.
7. La voz dice. —¡ _____ en seguida!
8. Las cabritas no _____.
9. La mamá espanta al _____.
10. Y todas contentas _____ felices.

Reconocer las sílabas *bra, bre, bri, bro, bru*. Completar las oraciones, según el libro.

# Nombres

**Alberto**  **Juana**  **Jorge**  **Lupe**

Algunos niños se llaman igual que su papá, su mamá, sus abuelos o alguien más de su familia.

A algunas personas les ponen el nombre del santo del día que nacieron.

19
3
S. JOSÉ
S. ANTONIO

A veces los papás eligen un nombre sólo porque les gusta.

**Ana María**

Algunas personas tienen un solo nombre, algunas tienen dos o más nombres.

¿Cuántos nombres tienes tú? _____

¿Cuáles son? _____

¿Sabes por qué te los pusieron? _____

_____

_____

Todos los nombres son interesantes. Pero ninguno es más bonito que el tuyo. Por eso, ¡porque es el tuyo!

47

Leer el texto y contestar las preguntas.

# La fragata brilla

brea    brillan
brillantes
bronce

BRA
BRE
BRI
BREA
BRO
BRU

Los marineros untan brea a la fragata.
La _____ la defiende del agua de mar.
Los cañones son de _____.
Los cañones que los marineros bruñen _____
La fragata se ve muy bonita
con sus cañones _____.

48

Elegir, entre las palabras dadas, las adecuadas para completar las oraciones.

# Los grillitos alegres

gra gre gri gro

gru

1. ¿Cómo brilla el sol? _____

_____

2. ¿Dónde vive el grillo Gregorio? _____

_____

3. ¿Cómo se llama la grillita? _____

_____

4. ¿Dónde vive? _____

_____

5. ¿Por qué están alegres los grillos? _____

_____

Reconocer las sílabas *gra, gre, gri, gro, gru*. Contestar las preguntas según el libro, páginas 69 y 70, y el sentido.

# La alegre familia de los grillos

La familia Cri-Crí
vive en un _____ apagado.

cajón          volcán          rincón

Vive en la _____ del volcán.

llama          grieta          hamaca

El papá se llama _____

_____

La mamá se llama _____

_____

Los hijitos se llaman _____ .

_____ y _____

gra  gre  gri  gro  gru

Completar el texto según el libro, páginas 73 y 74.

La familia Cri-Crí pasea

cra cre crí cro cru

gra gre gri gro gru

Toda la familia se va _____.

Quieren recoger grosellas
para hacer _____.

Las grosellas son _____.

La familia Cri-Crí es una
familia _____

aburrida    seria    alegre

Completar el texto según el libro, páginas 73 y 74. Elegir una de las palabras dadas para la última oración.

# Los alegres grillos recogen frutas

1. La alegre _____ Cri-Crí recoge frutas.

2. Los _____ se divierten oyendo croar a las ranas.

3. Guardan su cosecha de _____ para el invierno.

4. Pasan el invierno en su _____, que es una gruta en el cráter de un volcán.

Completar las oraciones, según el sentido. Escribir al lado de cada dibujo el número del texto correspondiente.

*Glo, glo, glo*

*La sapita canta: -Glo. _____ . _____*

*El sapito canta: -Glu. _____ . _____*

*La sapita anuncia que cae la _____*

*El sapito anuncia que sale el _____*

Reconocer las sílabas *gla*, *gle*, *gli*, *glo*, *glu*. Completar las oraciones, según el dibujo y el sentido.

# El globero

El globero vende globos.

1. El _____ le da un globo
   a Gladys.

2. Gladys va a llevarle el _____
   a su hijito.

3. Al hijito de _____ le gustan
   los globos.

   A Gladys le gustan las gladiolas.

4. Las _____ son flores bonitas.

5. Gladys quiere adornar su casa

   con _____

54

Completar el texto, según el dibujo y el sentido.

# Clotilde

Reconocer las sílabas *cla, cle, cli, clo, clu*. Completar las palabras, según el dibujo.

# La gallinita Clementina

1. La gallinita Clementina vivía feliz en su casita, que tenía un jardín lleno de claveles.

2. A la gallinita Clementina le gustaba mucho coser. Siempre llevaba en su delantal tijeras, agujas e hilo.

3. Un día, la zorra agarró a la gallinita Clementina y la metió dentro de un saco.

4. La zorra dijo: –¡Qué buena sopa me voy a hacer con esta gallina gorda!

Escribir junto a cada dibujo el número del texto adecuado según el libro, páginas 86 a 89.

1. La gallinita Clementina se asustó mucho cuando oyó lo que decía la zorra.

2. La gallinita Clementina cortó el saco con las tijeras. Puso en el saco una roca grande. Luego lo cosió.

3. Cuando la zorra llegó a su casa, puso agua a hervir. Luego echó la roca en el agua.
Creía que era la gallina.

4. La roca hizo saltar el agua caliente y la zorra se quemó, por eso dijo: —¡Ya no quiero sopa de gallina!

Escribir al lado de cada dibujo el número del texto adecuado.

# ¡Vamos a rimar!

El mono Pepino
se subió en un _____.

| pato | tomate | pino |

Anita, la pata,
está en esa _____.

| pelota | mata | sopa |

De Lili y de Lola es esta _____

| pipa | amapola | pelota |

Un mono no es un pino.
Un pino no es un pomo.
Un pomo no es un pato.
Un pato está en la loma.
No es pato el de la loma.
Ni es pata. Es _____.

| mona | loro | paloma |

Completar las oraciones según los dibujos, utilizando las palabras dadas.

# Clotilde y el doctor Clemente

1. El doctor Clemente tiene una clínica.
2. La gallina Clotilde va a la clínica del doctor Clemente.
3. El doctor Clemente la cura con un rico jarabe.
4. Clotilde le regala un clavel al doctor.
5. Clotilde se va contenta cantando: —Clo, clo, clo.

Escribir al lado de cada dibujo el número de texto correspondiente.

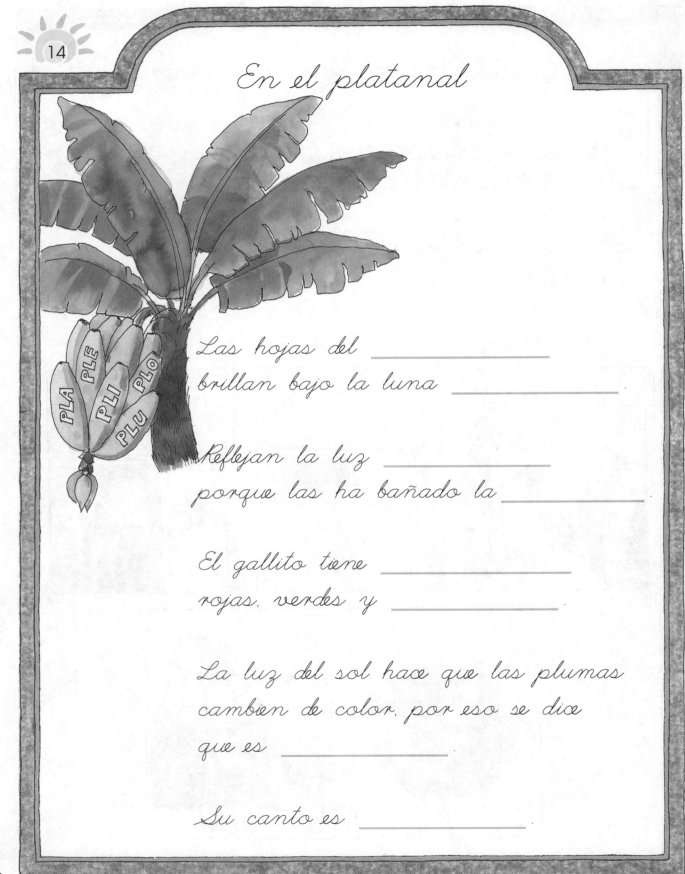

# En el platanal

Las hojas del _____
brillan bajo la luna _____

Reflejan la luz _____
porque las ha bañado la _____

El gallito tiene _____
rojas, verdes y _____.

La luz del sol hace que las plumas
cambien de color, por eso se dice
que es _____.

Su canto es _____

Reconocer las sílabas *pla, ple, pli, plo, plu*. Completar el texto según el libro, páginas 91 y 92.

# La rata planchadora

1. Había una vez una _____ vieja.

   La rata _____ era _____.

2. La rata vieja estaba planchando su _____

   Por _____ su falda se quemó la _____

3. La _____ vieja se amarró un _____

   en la _____ quemada.

   También se puso _____.

5. Cuando la rata _____ se quemó la cola, sólo

   le quedó un _____.

Completar el texto según la rima de la página 93 del libro. Escribir los números correspondientes.

# Y tú, ¿qué dices?

A veces las mismas cosas
tienen distintos nombres.
¿Cómo las llamas tú?

_____

_____

_____

_____

A veces varias cosas
tienen el mismo nombre.
¿Cuáles nombres usas tú?

pluma

llave

fuente

plata

En la parte superior, escribir los nombres que usa. En la inferior, unir los dibujos y los textos.

En Dragolandia

DRA DRE

DRI

DRO

DRU

Papá _____, mamá _____

y sus _____.

Reconocer las sílabas *dra, dre, dri, dro, dru*. Completar el texto, según el libro.

# Tres dragones tragones

Tres dragones
—nada tristes—
comen tres grandes
platos de trigo.

1. ¿Quiénes comen? _____

2. ¿Cómo están? _____

3. ¿Qué comen? _____

TRA
TRE
TRI
TRO
TRU

¿Puedes repetir rápidamente el trabalenguas?

Reconocer las sílabas *tra, tre, tri, tro, tru.* Contestar las preguntas. Repetir el trabalenguas.

1. ¿Cómo eran los dragones del cuento? _____

_____

2. ¿Qué asó el primer dragón? _____

_____

_____

3. ¿Qué probó el segundo dragón? _____

_____

_____

4. ¿Qué se tragó el dragón más chiquirritico? _____

_____

_____

Contestar las preguntas según el libro, página 100.

# Dragones y cocodrilos

1. ¿Quiénes salieron a pasear?

_____

2. ¿Qué hicieron al llegar a la laguna?

_____

3. ¿Quiénes vieron llegar a los dragones?

_____

4. ¿Qué decidieron los cocodrilos?

_____

_____

Contestar las preguntas según el libro, páginas 101 y 102, aceptando variantes.

5. ¿Qué hicieron los dragones con la laguna?

La convirtieron en _____.

6. ¿Quiénes disfrutan con el calor?

Los _____.

7. ¿Cómo agradecen los cocodrilos el regalo?

_____

Un cuadro de cocodrilos y dragones.

Contestar según el libro, páginas 101 y 102. Dibujar a los personajes del cuento.

# Lo mismo que...

1. Aeroplano es lo mismo que _____

| barco | camión | auto | avión |

2. Vento es lo mismo que _____

| nubes | sol | aire | lluvia |

3. Picaflor es lo mismo que _____

| paloma | gorrión | pollito | colibrí |

4. Tornar es lo mismo que _____

| jugar | volver | subir | bajar |

Completar las oraciones con los sinónimos dados.

# Mamá dragona y su dragoncito

1. ¿Cómo se llama la mamá dragona? _____

_____

2. ¿Qué le pasa por andar tan apurada? _____

_____

3. ¿Tiene tiempo para su hijito? _____

_____

4. ¿Qué le cuenta la mamá al dragoncito? _____

_____

5. ¿Qué le enseña? _____

_____

Contestar las preguntas según el libro, páginas 97 a 99.

# Una nueva ley

¡Hay! Mi dedo

Hay un _____ en el lago.

¡Hey! Ven acá.

El _____ da una ley.

Hoy es _____.

Te doy un regalo.

¡Huy! ¡Qué susto! Es una fiesta muy _____

Subrayar las palabras que contienen las terminaciones -ay, -ey, -oy, -uy. Completar los textos.

# ¿Quién soy?

Dicen que soy _____.

_____ de color amarillo.

El hada Hadaluna da colores a las hojas.

Yo _____ colores a todas las cosas.

Soy el _____.

| doy | soy | rey | sol |

Completar el texto con las palabras dadas. Dibujar libremente el sol.

# El león y el chapulín

El león era el _____ de los animales.

Como estaba de mal humor, rugía _____ fuerte.

El león pensaba: —Es hora de que todos se den cuenta

que _____ el _____.

El león _____ cantar al chapulín.

—_____ a darte una oportunidad —le dijo

el león al chapulín.

El chapulín estaba _____ asustado.

Dio un salto y _____ sobre la roca. Se sentó y

empezó a cantar.

| oyó | muy | soy | rey | voy | cayó |

Completar el texto con las palabras dadas.

# La fiesta del rey

1. El _____ da una fiesta.
   La fiesta es hoy.

2. Hay una nueva _____.
   La _____ es nueva.

3. La ley la dio el _____.
   Ésta es la ley del _____.

4. ¡Quién come _____
   no come _____!

73

# La cigüeña aventurera

Güe

Güi

La cigüeña toca el güiro
y baila la rumba.
El pingüino la acompaña
tocando la guitarra.

Subrayar las palabras que contienen las sílabas *güe*, *güi*. Leer y conversar sobre el texto.

# Pingüinos y cigüeñas

Éste es un pingüino.

Los _____ viven en el Polo.

A los _____ se les dan

también otros nombres:

    pájaro niño.

    pájaro bobo.

¿Qué nombres les pondrías tú?

_____

_____

_____

Ésta es una cigüeña.

Las _____ tienen

un pico muy largo.

Las patas de

las _____ son

muy largas también.

Las _____ hacen

sus nidos en las torres

y en los árboles muy altos.

Completar el texto y contestar la pregunta, según el sentido.

# Un cuento de pingüinos

1. Allá en el _____ vivía una pareja
   de pingüinos. Los dos eran _____
   _____ y vivían muy contentos.

2. Tenían _____ hijitos. Los hijitos
   se llamaban Pin seguido de un número:
   Pin 1. Pin _____. _____ 3.
   _____ 4. _____ 5 y Pin _____.
   También Pin 7. 8. 9 y 10.

3. Un día nació un nuevo _____.
   La mamá dijo: —¿Cómo le llamaré?

4. A la _____ pingüina no le gustaba
   el nombre _____.

Completar el texto, según las páginas 124 y 125 del libro.

5. Pensaron mil nombres: Pin Pedro. Pin Pablo.
Pin _____ . Pin _____ .
–¡Lo _____ Pin... güino!

6. Hasta que a Pin Diez se le ocurrió el mejor
nombre de todos. Y el _____
se llamó _____ .

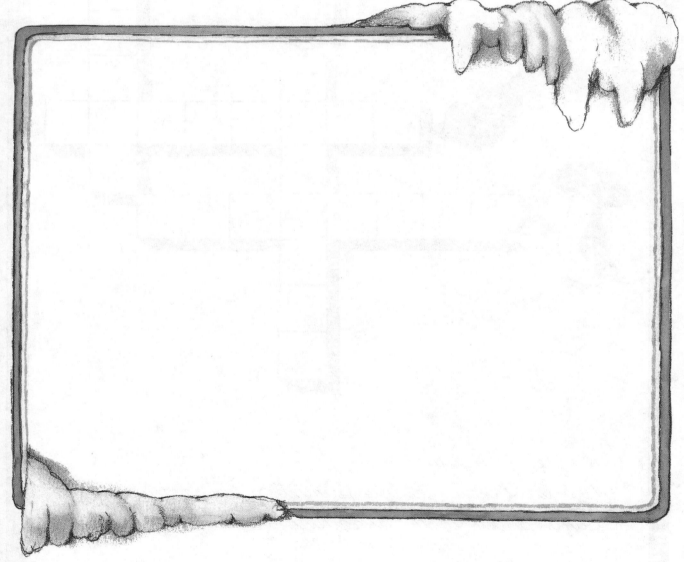

Mamá pingüina. papá pingüino y sus _____

Continuar completando el texto. Dibujar libremente a los personajes.

# Pingüigrama

Haz el pingüigrama.
No te olvides de los puntitos sobre la U
para poder decir pingüino, cigüeña y güiro.

Resolver el crucigrama, usando los nombres de la página 74 de este cuaderno.

# 18

# En el kiosco

un _____ de seda    un _____ de madera

un _____ japonés    un _____ en el parque

KA, KE, KI, KO, KU

Hacen ejercicios de _____ .

AL PUENTE 8 km

A LA CIUDAD 10 km

El puente está       La ciudad está a

a 8 kilómetros.      10 _____ .

Reconocer las sílabas *ka, ke, ki, ko, ku*. Leer y completar los textos.

k k k k k k k

K K K K K K K

1. La muñeca del Japón
   está vestida con un _____.

2. Está sola, paradita
   en un rincón del _____.

3. El muñeco militar
   se quita el _____
   y saluda.

4. Se van juntos a pasear
   a la _____.

verbena          kepis          kimono          kiosco

Trazar y copiar las letras modelo. Completar las oraciones con las palabras dadas.

k k k k k k k k k k k k

k

K K K K K K K K K K K

K

Usa kimono japonés.

Hacen karate.

Trazar y copiar las letras modelo y las oraciones.

# Kilos y más kilos

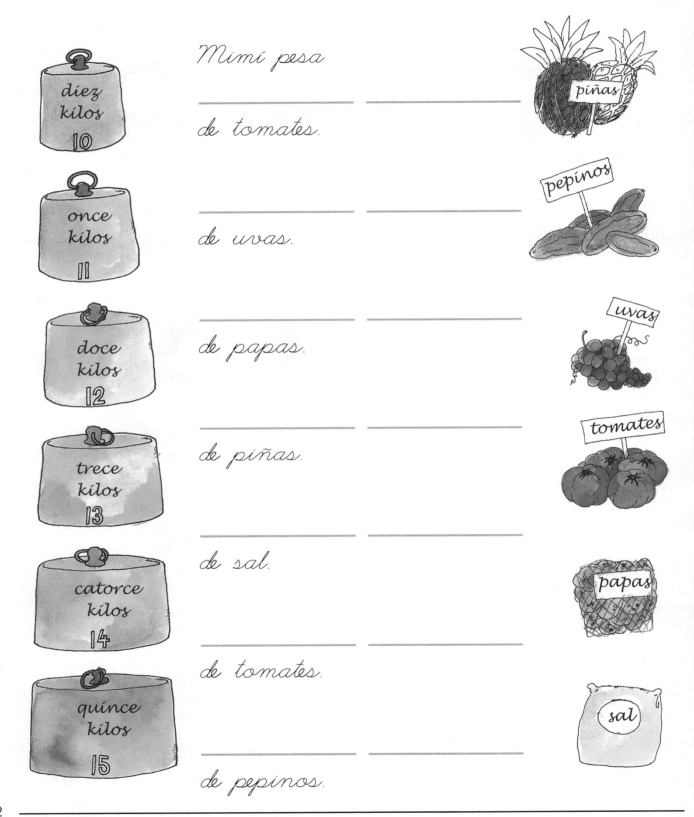

Mimí pesa

_____ _____

de tomates.

_____ _____

de uvas.

_____ _____

de papas.

_____ _____

de piñas.

_____ _____

de sal.

_____ _____

de tomates.

_____ _____

de pepinos.

diez kilos 10

once kilos 11

doce kilos 12

trece kilos 13

catorce kilos 14

quince kilos 15

piñas

pepinos

uvas

tomates

papas

sal

Completar los textos. Unir los textos con los dibujos correspondientes.

# Una letra rara

1. La _____ es una letra
   que casi nunca se ve.

2. La encontramos en palabras
   del _____ o del _____ .

3. La _____ tiene varios
   nombres diferentes.

4. Algunas personas la llaman
   _____ ; otras personas
   la llaman _____ .
   También se llama _____
   _____ o _____ .

5. Esta letra rara tiene
   _____ nombres.

w w w w w w w

W W W W

83

Completar las oraciones según el libro, página 135. Trazar y copiar las letras.

# Sigamos el orden del abecedario

Éste es el abecedario, o alfabeto.

A   B   C   CH        D   E   F   G
H   I   J   K          L   Ll   M   N
Ñ   O   P   Q          R   S   T   U
        V   W   X   Y   Z

Completa este abecedario con letras minúsculas.

a   b   ___   ch        d   ___   ___   g
h   ___   j   ___        l   ___   m   ___
    ___   o   ___   q        ___   s   ___   u
        v   ___   x   ___   z

Une los puntos, siguiendo el orden del abecedario.

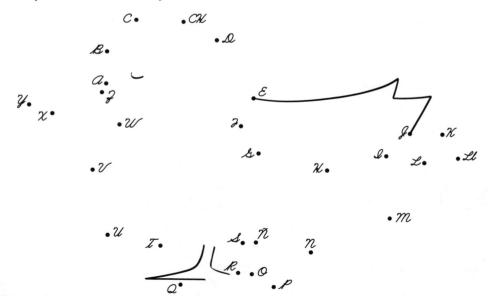

Completar el abecedario con letras minúsculas. Unir los puntos, siguiendo el orden del alfabeto.

Escribir las letras correspondientes a la clave. Leer la oración.

# Kioscos

1. El kiosco número _____
   tiene uvas.

2. El _____
   número _____
   tiene peras.

3. El kiosco número
   _____ tiene piñatas.

4. El _____
   número _____.
   tiene tomates.

5. El kiosco número _____
   tiene muñecas.

Completar cada oración, según el dibujo y el sentido.

# 19

# Pimpón

am
em
im
om
um

Éste es el abecedario o alfabeto.

| a | b | c | ch | d | e | f | g |
|---|---|---|----|---|---|---|---|
| h | i | j | k | l | ll | m | n |
| ñ | o | p | q | r | s | t | |
| u | v | w | x | y | z | | |

Completa este abecedario con letras mayúsculas.

A _ C Ch _ E F _ H I _ K L _ M N

_ _ P Q R _ T _ V _ _ Y _

Sin ser emperador.
Pimpón se siente muy importante.

Une los puntos para ver
qué empieza a hacer Pimpón.

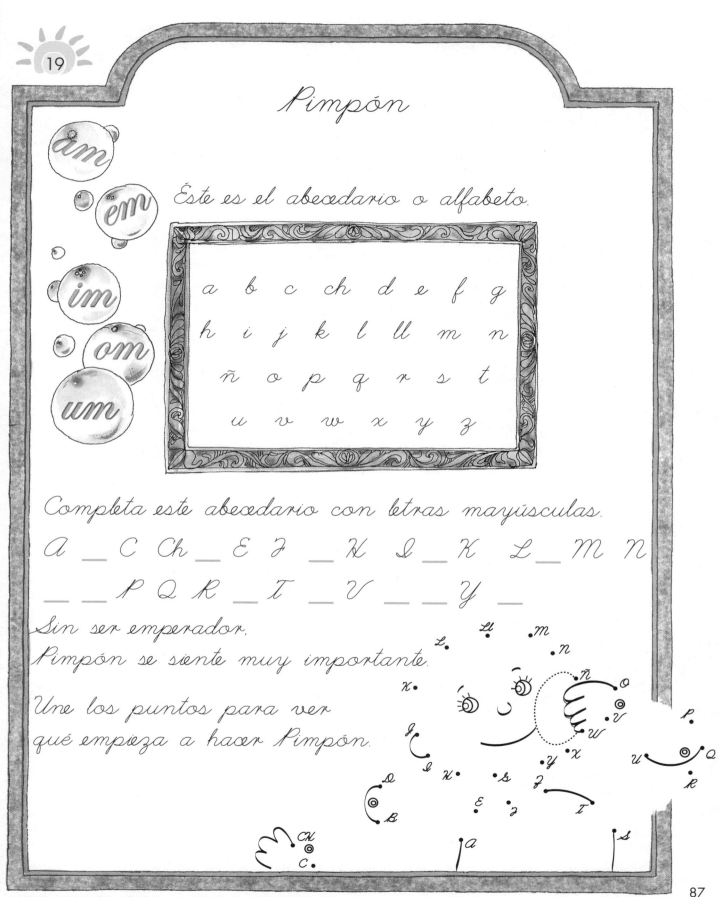

Completar el abecedario y la figura. Subrayar las combinaciones *am, em, im, om, um*.

# Lo contrario de...

1. Lo contrario de feliz es _____ .

   > colorada     chiquita     triste

2. Lo contrario de miedoso es _____ .

   > valiente     amarillo     grande

3. Lo contrario de frío es _____ .

   > verde     bonito     caliente

4. Lo contrario de tarde es _____ .

   > pobre     difícil     temprano

5. Lo contrario de fácil es _____ .

   > pequeño     alegre     difícil

6. Lo contrario de fiero es _____ .

   > salvaje     manso     enorme

Completar las oraciones con los antónimos dados.

# ¿De quién es este sombrero?

Resolver el crucigrama con los nombres de los oficios repres_entados por los sombreros.

# Días de fiesta

Celebramos muchos días de fiesta.

El día _____ de _____ celebramos

_____

_____

El día _____ de _____ celebramos

_____

_____

_____

_____

_____

_____

_____

_____

_____

Completar las oraciones según el sentido.

# Payaserías

El payaso _____ toca _____ _____

La payasa _____ toca _____ _____

El payaso _____ toca _____ _____

La payasa _____ toca _____ _____

El payaso _____ toca _____ _____

La payasa _____ toca _____ _____

El payaso _____ toca _____ _____

La payasa _____ toca _____ _____

triste
gordo
flaco
valiente
alto
bajo
alegre
cobarde

contrabajo
guitarra
platillos
trompeta
flauta
piano
saxofón
violín

Completar las oraciones según los dibujos, utilizando las palabras dadas.

# Adivina, adivinador

Sus hijitos amarillos,
todos con camisa blanca.
Cada vez que tiene uno
ella alborota la casa.

En alto vive
en alto mora
en alto teje
la tejedora.

Alto altanero
gran caballero,
gorro de grana,
capa dorada
y espuela de acero.

No soy militar
y tengo coraza
y estoy todo el día
metida en mi casa.

Cien damas en un camino
y no hacen polvo ni ruido.

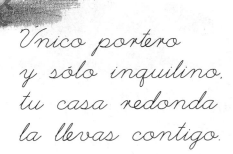

Único portero
y sólo inquilino,
tu casa redonda
la llevas contigo.

Unir cada adivinanza con el dibujo correspondiente.

# Abecerrimas

De la colmena sale una abeja.
Se posa en las flores de la _____

En el mar nada la ballena.
En la arena juega la _____

En la loma salta el conejo.
No me parece muy _____

En el campo brinca el chivito.
Es blanco y negro y muy _____

En su cueva descansa el dragón.
verde, enorme y muy _____

En la pradera está el elefante,
junto a la hormiga parece un _____

| bonito | comelón | gigante |
|--------|---------|---------|
| nena | viejo | reja |

Completar las rimas con las palabras dadas.

Negra y lustrosa, la foca
toma el sol sobre la _____

El ratón baila por un rato
porque se ha dormido el _____

Cuando comes un pastel y dejas caer las migas
¡hacen fiesta las _____!

Salta y nada la rana
y toma el sol la _____

Se me perdió mi sortija.
La encontró la _____

Se ha posado en la rosa
una bella _____

| lagartija | roca | mariposa |
| hormigas | gato | iguana |

Completar las rimas con las palabras dadas.

Peludo, juguetón y gracioso
es el cachorro del _____

El hoyito en el rincón
es la cueva del _____.

En la arena, para que el sol los caliente,
deja sus huevos la madre _____

¿Quién descansa bajo un sol de oro?
Nuestro buen amigo, el _____.

¿Para quién es esa hamaca?
Para la señora _____

¿Me preguntas por qué corro?
Porque voy a ver al _____.

| zorro | toro | oso |
|---|---|---|
| serpiente | vaca | ratón |

Completar las rimas con las palabras dadas.

# Un mensaje secreto

Escribir las letras correspondientes a la clave. Leer la oración.